Colección Juvenil.es
LECTURAS GRADUADAS

HACIA AMÉRICA 2
Una nueva vida

Flavia Puppo

I

II

III

IV

V

VI

VII

VIII

IX

X

100 puntos

Colección *Juvenil.es*
LECTURAS GRADUADAS

A mi abuela.

Primera edición, 2015

Produce:
>   SGEL – Educación
>   Avda. Valdelaparra, 29
>   28108 Alcobendas (MADRID)

© **Del texto y las actividades:**
>   Flavia PUPPO
© **De la presente edición:**
>   Sociedad General Española de Librería, S. A., 2010
>   Avda. Valdelaparra, 29 – 28108 Alcobendas (Madrid)

Edición:
>   Aurore Baltasar
Diseño de colección y maquetación:
>   Alexandre Lourdel
Ilustraciones:
>   Pablo Torrecilla
Grabación:
>   Sounders Creación Sonora

ISBN: 978-84-9778-881-6
Depósito legal: M-18151-2015
>   Printed in Spain – Impreso en España

Imprime: V.A. Impresores, S.A.

◄ 1   Eva escribió www.tiempoenasturias.es en la barra del busca-
dor y pulsó ENTER. Luego eligió «previsiones y pronóstico del
tiempo. Oviedo» y no se sorprendió.[1]

SÁBADO   DOMINGO

Eva odiaba la lluvia, el frío y el mal tiempo de Oviedo. Odiaba
no poder salir a dar paseos en bicicleta, odiaba estar encerrada,
odiaba ponerse abrigo, gorro, bufanda y guantes cada vez que
salía, y odiaba estar de mal humor. Y odiaba a su hermana Sonia
por su buen humor. Pero el caso es que le tocaba convivir con el
mal tiempo muchos meses al año.

El fin de semana, ella y Sonia se quedaban en casa de sus
abuelos porque sus padres estaban de guardia.[2] Eran médicos y

....

[1]   La historia completa la encontrarás en *Hacia América Uno*.

....

[2]   Estar de guardia: Servicio que está fuera del horario de trabajo. Los médicos
suelen estar en Urgencias.

....

para evitar trabajar durante la Semana Santa[3] hacían guardias casi todos los fines de semana. Para las vacaciones pensaban ir todos juntos a Barcelona.

Apagó el ordenador y preparó la bolsa para el fin de semana: un vaquero, un pantalón de pana, dos camisetas y dos jerséis. «Ah, y el camisón», pensó para sí. En la casa de los abuelos hacía bastante frío.

—¡Sonia! ¿Estás lista?

—Sí, un momento.

Las hermanas cerraron la puerta con las dos llaves y fueron andando hasta la casa de Agustín y Felisa, los abuelos por parte de su madre.

—El pronóstico dice que va a llover. ¿Y si repetimos el plan del domingo pasado? —preguntó Eva.

—¿Cuál? ¿Ver a Jesús o escuchar las historias del abuelo?

—¡Qué tonta eres!

—Me parece muy bien.

En ese momento sonó el móvil de Eva.

—¿Sí?… Hola, Luz… Bien, ¿y tú? Vamos a casa de los abuelos… ajá…[4] Sonia y yo pensamos lo mismo. Hablo con los abuelos y te llamo, ¿vale? Ah, que está también Daniel… Vale… Hasta luego… Chao… Besito…

Sonia la miró sonriendo.

....

[3] La Semana Santa termina con el domingo de Pascua. En España se consideran días de fiesta.

....

[4] Ajá: Se usa para expresar aprobación.

....

—Nada, que quieren venir a escuchar la continuación de la historia del abuelo.

—Y Daniel, ¿quién es?

—El del lunar.[5] Ese chico que anda siempre con Jesús. El que se da aires.[6]

—Pero, ¿por qué te _enfadas_ tanto? Si _en el fondo_, te divierten esos chicos raros.[7]

Era verdad y tenía que admitirlo. Al menos eran chicos diferentes. Poco sociables, pero interesantes.

La abuela Felisa aceptó encantada preparar otro chocolate caliente con bizcocho para el sábado.

—¿Me _enseñas_ a prepararlo, abuela?

—Claro, cariño.

—¿Y a mí? —preguntó Sonia.

—Y a ti, también —dijo la abuela _dándoles_ un beso en la mejilla a cada una.

El abuelo estaba leyendo el periódico en su sillón de pana roja, con las gafas en la punta de la nariz.

---

[5] Lunar: Pequeña mancha en la piel, de color oscuro.

[6] Darse aires: Quiere decir «presumir, creerse importante».

[7] Raro: Sinónimo de «extraño».

—Hola, abuelo. ¿Te importa seguir con el cuento mañana por la tarde? —preguntó Eva.

El abuelo la miró por encima de las gafas y sonrió sin decir nada.

—Voy a llamar a Luz —anunció Eva. Y desapareció del salón en un santiamén.[8]

En ese momento se oyó un trueno lejano. «Esto ya no para», se dijo Agustín pensando en la lluvia.

[8] En un santiamén: Rápidamente.

2 El sábado amaneció oscuro y lluvioso. Sonia acompañó a la abuela Felisa a hacer la compra al mercado. Para preparar la merienda necesitaban huevos, leche y chocolate.

A las cuatro de la tarde sonó el timbre. Cuando Eva abrió la puerta, se quedó de piedra.[1] Luz estaba con Jesús.

—Es que… —susurró Luz.

—Es que yo también quiero aprender a preparar bizcocho —anunció Jesús.

Estaba lloviendo desde la mañana y era la tarde ideal para aprender a cocinar.

—Somos demasiados —dijo Felisa.

—¿Hacemos dos bizcochos? —propuso Sonia.

❧

A las cinco y media de la tarde los bizcochos estaban en el horno, Jesús y Eva lavaban y secaban los utensilios sucios: dos cucharas de madera, dos recipientes grandes, varias cucharas y una balanza.

[1] Quedarse de piedra: Significa «sorprenderse mucho».

A las seis, cuando llegó Daniel, Felisa estaba preparando una enorme jarra de chocolate. Y a las seis y media estaban todos reunidos alrededor de la mesa de la cocina, dispuestos a escuchar a Agustín. *around*

—Yo no sé nada de la primera parte —dijo Daniel.

—Te vamos a hacer un resumen entre todos —le respondió el abuelo. *summary*

—Érase una vez…[2] —empezó Sonia. = *Había una vez*

—Una familia asturiana, los Bravo, que se marcharon de su tierra poco antes de la Guerra Civil. Próspero y Palmira tenían tres hijos: Juan de 14 años, Ignacio, de 12, y Julio, de 10. Decidieron marcharse a Argentina —dijo Eva.

—Porque Palmira tenía una hermana, Elisa, que ya estaba en Buenos Aires. En el barco conocieron a los Díaz, que tenían una hija, Asunción, de la misma edad que Juan —continuó Jesús.

—Y se enamoraron y se cambiaron las direcciones para verse en Buenos Aires. El caso es que llegaron, Elisa no estaba esperándolos, y ellos tuvieron que dormir en unos pabellones del puerto —dijo Sonia.

—Pero a los pocos días Próspero encontró trabajo, y a los pocos meses pudieron alquilar un piso para ellos. Palmira trabajaba de modista, los niños iban a la escuela y Elisa seguía sin aparecer —añadió la abuela. *added*

—¿Y los amigos? —preguntó Daniel.

Turn up

....

[2] Érase una vez…: Fórmula que se usa para empezar los cuentos infantiles.

—¿Los Díaz? No se encontraron nunca. Un día a Juan le pareció ver a Asunción por la calle, con un hombre mayor y un anillo de casada —respondió el abuelo.

—Pero lo interesante es lo de la tía Elisa —dijo Jesús.

—Se lo cuento yo —interrumpió Eva.

—Vale.

—Pues resulta que Palmira, como ya dijimos, empezó a trabajar de modista en un taller de costura. Un día, la jefa le dio un paquete para entregar, una dirección en un barrio rico, y la tarde libre. Ese día ella no pudo ver a la dueña de la ropa. Unos meses más tarde, su jefa volvió a mandarla a esa dirección. Ella esperó en el vestíbulo en el que había un perchero[3] de madera muy bonito y un portarretrato con una foto de boda. Y cuando Palmira se acercó a mirarla, llegó la mujer y resultó ser su hermana Elisa.

—¡Qué casualidad! —exclamó Daniel.

—Sí, después de casi un año de buscarla —concluyó Sonia.

—Y además hay otra cosa. Julio, el menor de los hermanos, se hizo amigo de un niño que se llamaba Raúl y que era muy mal estudiante. Y gracias a Julio le empezó a ir mejor en el cole[4] —continuó Jesús.

---

[3] Perchero: Mueble que se usa para colgar ropa. Puede estar en la pared o tener un pie.

[4] Cole: Forma coloquial para decir «colegio».

—Y por eso, el padre, que era un músico de origen italiano que tocaba el bandoneón, le ofreció a Julio darle clases gratis, si él seguía ayudando a su hijo con las tareas —añadió Sonia.

—¿Qué es un bandoneón? —preguntó Daniel.

—Es una especie de acordeón. Y es típico del tango.

—Y colorín colorado, este cuento se ha acabado[5] —concluyó Agustín.

[5] Fórmula que se usa para terminar los cuentos infantiles.

◀ 3 —¡Este bizcocho está buenísimo! —dijo Jesús dándole un mordiscón al tercer trozo.

—¿Os apetece un poco más de chocolate? —preguntó Felisa.

—Yo creo que sí —le respondió su marido.

Un relámpago iluminó la ventana y a lo lejos se oyó un trueno. Pocos minutos más tarde caía una lluvia torrencial[1] sobre Oviedo.

—¡Igual que el otro día! —suspiró Eva.

—Es el clima ideal para un cuento. ¿Seguimos? —propuso el abuelo.

—¡Sí! —exclamaron todos a coro.

Palmira y Elisa se encontraron. Elisa estaba casada con un hombre de origen inglés, Arthur, pero al que todos llamaban Arturo. Era viudo y bastante mayor que Elisa. Tenía muchas hectáreas de tierra en la provincia de Buenos Aires, una cabaña

....

[1] Torrencial: Significa «muy fuerte».
....

de caballos de polo, y era socio del Buenos Aires Lawn Tenis Club[2] y del River Plate.[3]

—¿Qué son los caballos de polo? —quiso saber Luz.

—El polo es un deporte que se juega a caballo. Los ingleses lo llevaron a Argentina, igual que el tenis y el fútbol —respondió el abuelo.

Elisa organizó una comida en su casa para presentar a su marido y a su familia. Todos lustraron sus zapatos, se pusieron su mejor ropa y Palmira les dio a los niños muchas indicaciones sobre cómo comportarse.

—*No apoyéis los codos en la mesa. No habléis si los mayores no os hablan. Sed educados.*

La lista era interminable.

Próspero y los niños se quedaron extasiados ante tanto lujo. Estaban un poco nerviosos. Elisa y Arturo también estaban nerviosos. Se enamoraron sin saber nada el uno del otro, pero ahora Elisa tenía familia.

A las doce y media llamaron a la puerta.

....

[2] Buenos Aires Lawn Tenis Club: Es el Club de tenis más exclusivo de la ciudad. Allí se juegan los campeonatos internacionales.

....

[3] River Plate: Uno de los dos clubes de fútbol más famosos. El otro es Boca Juniors.

....

—Deje, Rogelia, que ya voy yo —dijo Elisa desde el final del largo pasillo.

Rogelia era la gobernanta[4] de la casa. Una mujer buena, pero muy rígida y amargada, que vestía siempre de negro. Elisa se precipitó hacia la puerta.

—¡Bienvenidos y adelante!

Las hermanas se abrazaron, luego Próspero se acercó a saludar a su cuñada y los niños, a su tía.

—¡Pero si están enormes! —les decía besándolos y acariciándolos sin parar.

Julio, que estaba peinado con gomina,[5] se aplastó más el pelo cuando Elisa terminó con las efusiones. A sus hermanos no les importaba estar despeinados, pero a él sí. Porque para Julio los bandoneonistas iban siempre muy elegantes. Y él quería ser uno de ellos.

—Los abrigos, podéis dejarlos aquí —anunció la tía señalando un perchero de madera oscura.

Mientras la familia Bravo se estaba quitando los abrigos, una silueta alta y delgada se materializó en el vestíbulo.

....

[4] Gobernanta: Persona encargada de dirigir al personal doméstico.

....

[5] Gomina: Producto que usaban los hombres para fijar el cabello.

....

—¡Huy! ¡Qué susto! Estaba distraído —exclamó Juan, con el corazón latiéndole a toda velocidad.

—Buenos días —anunció una voz grave.

—Usted debe ser Arturo —dijo Próspero para romper el hielo.

Se acercó y le tendió la mano. Esperaba encontrarse con un viejo estirado[6] y se encontró con un hombre de mediana edad, muy jovial, que les estaba dedicando la mejor de sus sonrisas.

—Sí, y vos,[7] Próspero. Nos tuteamos,[8] ¿verdad? —dijo, con marcado acento argentino.

—Vamos al salón —añadió Elisa.

Los niños se dirigieron directamente a las ventanas que tenían una vista muy abierta al Río de la Plata. En la sala había tres cómodos sofás y dos sillones colocados alrededor de una mesa baja. Sobre ésta había copas, una botella de champán,[9] tres vasos y una jarra con un líquido de color rojo.

—Es granadina[10] —dijo Elisa mirando a los niños.

—¡A brindar por el encuentro! —anunció Arturo mientras servía cuatro copas de champán.

---

[6] Estirado: Significa «serio y rígido».

[7] Vos: En Argentina y otros países de América, el pronombre «vos» se usa en lugar del «tú». Los verbos en presente y en imperativo cambian un poco.

[8] Tutearse: Quiere decir tratarse de «tú» o de «vos», en este caso.

[9] Champán: Forma españolizada de «champagne».

[10] Granadina: Bebida de color rojo hecha a base de granada. Hay que agregarle agua porque es muy dulce.

—*La mesa está servida* —*anunció una mujer joven con un uniforme negro y cofia y delantal blancos.*

La comida estaba realmente exquisita y consistía en una gran variedad de platos argentinos: empanadas,[1] buñuelos de espinacas, lomo[2] con papas[3] al horno y un maravilloso arroz con leche y canela[4] de postre. Los mayores bebieron vino, mientras que los niños prefirieron seguir con la granadina, que les gustó muchísimo.

—*Cuéntenme[5] qué hacen* —*quiso saber Arturo dirigiéndose a los tres hermanos.*

Ignacio levantó la vista del plato y se cruzó con la mirada de su padre que con un leve movimiento de cabeza le estaba dando permiso para hablar.

---

[1] Empanada: Pastelito de masa en forma de media luna, que suele ir relleno de carne.

[2] Lomo: Es el corte más tierno y preciado de la vaca. En España se llama solomillo.

[3] Papa: En muchos países se dice «papa» en lugar de «patata».

[4] Arroz con leche y canela: Postre clásico, de origen español.

[5] Cuéntenme: En América y en alguna zonas de España no se usa el pronombre «vosotros», sino «ustedes».

—*Yo estoy en primer año de la secundaria. Y todas las tardes voy a jugar al fútbol.*

—*Dicen que es una joven promesa* —*añadió Palmira, orgullosa de su hijo del medio.*

—*Y ¿dónde jugás?*[6] —*preguntó Arturo.*

—*Hay un potrero*[7] *cerca de casa, pero los partidos los jugamos en el Club Barracas Central.*

—*Te voy a ir a ver un día de partido. Yo de fútbol, algo sé* —*concluyó Arturo. Luego miró a Juan.*

—*Yo estoy en tercer año de la secundaria y me gusta escribir* —*dijo Juan, que era de pocas palabras.*

—*Y, ¿qué escribís?*

—*Historias de aventuras, cosas que veo en la calle. No sé.*

—*La verdad es que el chico es todo un presupuesto*[8] *en cuadernos* —*acotó Próspero. Y todos se echaron a reír.*

—*Y yo estoy en sexto grado* —*dijo Julio.*

—*¿Nada más?*

—*Y estoy aprendiendo a tocar el bandoneón.*

Cuando terminaron de tomar el café, Arturo se disculpó y volvió unos minutos más tarde con una enorme caja de madera. La abrió.

---

[6] Jugás: Es el verbo que corresponde al pronombre «vos», como las demás intervenciones de Arturo.

---

[7] Potrero: Terreno sin construir.

---

[8] Significa que se gasta mucho dinero en cuadernos.

—Nos gustaría oírte tocar —le dijo a Julio.

Al niño se le iluminó la cara. En la caja había un bandoneón de la mejor marca: un «doble A». Julio se acercó a la caja, cogió el instrumento, se sentó en la punta de un sillón y se puso a tocar. Los padres estaban muy sorprendidos, porque era la primera vez que lo oían. En realidad, todos estaban sorprendidos.

—Este chico es un genio —le susurró Arturo a su mujer.

Cuando terminó, toda la familia estalló en un fuerte aplauso.

—¿Sabés leer música? —le preguntó Arturo.

—Más o menos. Toco de oído.

—¿Te gustaría estudiar más?

—Sí, pero don Francesco no tiene tiempo de darme más clases.

Don Francesco era el padre de su amigo Raúl. Era un músico profesional y le daba clases gratis. A cambio, él ayudaba a Raúl a hacer las tareas de la escuela. Pero esto su amigo no lo sabía.

—Te lo regalo —dijo Arturo.

Julio se puso primero colorado[9] y después, pálido.

—Yo no lo sé tocar. Y es inútil tenerlo en un armario. La marca es muy buena —concluyó.

—Gracias —fue lo único que pudo decir Julio.

....

[9] «Ponerse colorado»: Significa «ponerse rojo».
....

—Una pausa —pidió el abuelo Agustín. Parecía más emocionado que cansado. Se puso de pie y fue a la sala que estaba completamente a oscuras.

Eva, Sonia, Jesús y Daniel se quedaron en silencio, oyendo la lluvia contra los cristales de la ventana. La abuela Felisa se secó los ojos.

—¿Más chocolate? ¿Más bizcocho?

En realidad quedaba bastante poco. Eva se levantó a ayudar a su abuela a recoger la mesa mientras esperaban al abuelo Agustín.

Daniel estaba muy pensativo y más callado que nunca.

El abuelo regresó unos minutos más tarde con la pipa en la boca.

—Me encanta el olor de la pipa —exclamó Sonia para romper el silencio.

—Y a mí —dijo Daniel, aunque estaba completamente ausente.

—¿Listos? —preguntó Agustín.

V

VI

VII

VIII

IX

X

100 puntos

Nadie respondió con palabras y cada uno se sentó en su sitio. El abuelo le dio una chupada a la pipa y tosió antes de empezar a hablar.

El domingo siguiente Ignacio tenía partido y fue a verlo la familia al completo. Incluidos Elisa y Arturo. Éste se puso las gafas y observó atentamente cada movimiento de su sobrino.

—¡Qué talento, el chiquilín![1] —le dijo a Próspero y Palmira al terminar el primer tiempo.

—¿De verdad? —preguntó su cuñada.

—Lo quiero en River Plate. ¿Le permiten entrenarse?

Ignacio empezó a jugar en los juveniles de River en 1938. Arturo habló con don Francesco y se pusieron de acuerdo: Julio tenía cuatro horas de clase por semana. Pagadas, pero eso Julio no lo sabía. Y Juan recibió para su cumpleaños una flamante[2] máquina de escribir.

El dueño de la cafetería donde trabajaba Próspero decidió venderla. Si él la compraba, podía ser una gran oportunidad, pero no tenían dinero suficiente. Aunque Próspero era muy orgulloso, siguió el consejo de Palmira y habló con su cuñado, que se convirtió en socio. Él ponía el dinero y Próspero, el trabajo.

---

[1] Chiquilín: Palabra típicamente argentina que quiere decir «niño».

[2] Flamante: Nuevísima.

—¿Juan y Asunción no volvieron a verse? —preguntó Daniel.

—Sí, pero falta un poco para eso —anunció el abuelo, dejándolos a todos con un suspiro en los labios. Sobre todo a Daniel, que seguía estando pensativo y algo nervioso.

Palmira también progresó. Se compró una máquina de coser, empezó a tener cada vez más trabajo y decidió contratar a otra modista. Poco a poco fue montando su propio taller.

En 1940 Juan terminó la escuela secundaria y entró en la Universidad. Los Bravo no daban crédito. Un hijo universitario era el sueño de todo inmigrante, pero no todo fue tan fácil.

—*Ya os he dicho mil veces que no quiero ser abogado* —*repetía Juan una y otra vez.*

—*Tienes que asegurarte un futuro* —*decían, por turnos, Próspero y Palmira.*

Juan era un joven extravagante, con ideas raras en la cabeza: quería ser escritor profesional. A sus padres la carrera de Letras Modernas les parecía una pérdida de tiempo, y de nada valieron las mediaciones de Arturo.

—*Miren que este chico escribe muy bien. Y tiene mucha imaginación* —*les decía Arturo.*

—*Nadie vive de escribir libros* —*argumentaba Próspero.*

Total, que Juan empezó la carrera de Derecho. Mientras tanto, seguía escribiendo y hasta consiguió publicar en

La Nación.[3] *Eran unos textos breves que salían en la contra-portada[4] y que hablaban de una familia de inmigrantes de Buenos Aires. Era una novela por entregas[5] y logró entusiasmar a muchos personajes importantes de la ciudad.*

Sus padres se sentían un poco avergonzados y orgullosos a la vez. Próspero concluía diciendo:

—*Así estamos contentos todos, nosotros porque vamos a tener un hijo abogado, y él, porque es escritor.*

---

[3] *La Nación*: Uno de los periódicos más importantes del país.

[4] Contraportada: La última página.

[5] Por entregas: Por capítulos.

◀ 6 —Ya sé que te interesa mucho el personaje de Asunción —dijo el abuelo mirando a Daniel.

—Sí, es que… Nada, mañana le voy a preguntar a mi madre.

—Las historias de los inmigrantes suelen parecerse mucho —le respondió Agustín.

Un fuerte viento empezó a golpear las ventanas hasta tal punto que pensaron que se iban a romper los cristales. Una corriente de aire frío hizo estremecer a todos.

—¿Encendemos la salamandra?[1] —preguntó Jesús.

—Es toda suya, jovencito —respondió Felisa.

Jesús se levantó y empezó a preparar la leña que se encontraba en una cesta al lado de la estufa. Cortó ramas pequeñas y separó troncos más grandes.

—Hay pastillas de carbón para encenderlo —le comentó Eva.

—Gracias, pero he hecho un curso de Supervivencia y no las necesito —respondió sonriendo.

«Una nueva habilidad», pensó Eva para sí.

....

[1] Salamandra: Estufa de hierro que funciona con leña.
....

Mientras Jesús encendía el fuego, el abuelo se dispuso a continuar. Eran más de las ocho de la noche.

Un día hacia las cinco de la tarde, estando Próspero en la cafetería, entró un hombre de mediana edad pero con el pelo canoso,[2] la ropa gastada y los zapatos sin lustrar.

Próspero estaba de espaldas a la barra, limpiando la máquina del café y sólo lo oyó entrar, pero no lo vio.

—¿Ya no reconoces a tus amigos? —dijo una voz que le resultó conocida y lejana a la vez.

Se dio la vuelta y se quedó mudo:[3] era Juan José Díaz.

—¿El padre de Asunción? —interrumpió Daniel entusiasmado.

—Sí, el mismo.

—¡Sh! —chistaron varios.

Como os podéis imaginar, los amigos se abrazaron y se alegraron. Próspero bajó el cierre metálico de la cafetería antes de lo previsto y sirvió dos vasitos de Orujo[4] para celebrar el reencuentro.

—Me lo regala un cliente —dijo levantando el vaso.

---

[2] Canoso: Blanco.

[3] Quedarse mudo: Significa «quedarse sin palabras».

[4] Orujo: Aguardiente típica de Galicia.

—¡Ay mi tierra! —concluyó Juan José echando la cabeza hacia atrás y bebiéndoselo de un trago.

Hablaron de sus vidas actuales y de la familia. Isabel estaba de portera en un edificio modesto en el barrio de Flores. Les daban la casa de la portería y un sueldo muy bajo. El sitio era realmente pequeño. Tenía un salón y una habitación, y en los primeros tiempos Asunción dormía en un catre[5] en el salón, que todos los días armaban y desarmaban. Por lo que Próspero entendió, Juan José, al que todos llamaban Jose, no trabajaba. Sólo ayudaba a su mujer en pequeñas tareas: cambiar una bombilla del edificio, subirse a la escalera para limpiar los cristales de la entrada, hacer la compra para la limpieza, lustrar el bronce del portero eléctrico. En fin, poca cosa. Además, tenía mucha nostalgia de Ortigueira,[6] su pueblo natal.

—¡Hombre! ¡Si nos moríamos de hambre! —exclamó Próspero.

—¡No te creas tú que aquí estamos mejor!

—Bueno, al menos no hay guerra.

—Eso es verdad —concluyó Jose.

Prometieron volver a verse.

....

[5] Catre: Cama plegadiza.

....

[6] Ortigueira: Pueblo que está cerca de La Coruña, en Galicia.

....

◀7 —Cariño, ¡qué tarde llegas! —dijo Palmira con voz de asustada cuando Próspero regresó a su casa.

—¡Qué exagerada eres, mujer!

El reloj de la cocina dio las nueve de la noche.

—Bueno, sí, la verdad es que es un poco tarde —admitió Próspero.

—¡Niños, a cenar! —gritó Palmira asomando la cabeza por el pasillo.

Estaban todos sentados a la mesa, a punto de comer una tortilla de patatas,[1] cuando Próspero anunció:

—Esta tarde he visto a Juan José Díaz.

—¿Cómo dices?

—¿Qué?

—¿En serio?

Todos observaron de reojo[2] a Juan, que estaba blanco como un papel.

---

[1] Tortilla de patatas: Típico plato español hecho a base de patatas, huevos y un poco de cebolla.

[2] Observar de reojo: Significa «mirar de costado».

Meeting

Próspero les hizo un resumen del encuentro y de la triste situación en que se encontraban los Díaz.

Proposal

«Voy a hablar con Arturo para hacerle una propuesta», pensó Próspero para sí.

—Podrías hablar con Arturo, ¿no? —propuso Palmira.

Su marido sonrió.

Cuando terminaron de cenar, ayudaron a Palmira a recoger la mesa y a fregar los platos.

Antes de acostarse, Próspero se acercó a hablar con su hijo mayor:

—Asunción se ha casado, como tú pensabas. Lo siento. Estas cosas duelen.

Juan bajó la mirada, abrazó a su padre y se desearon buenas noches.

—Yo me quedo un rato en el salón. Escribiendo —anunció.

Próspero se levantó muy pronto y fue al barrio de Recoleta antes de abrir la cafetería.

Querido Arturo:

Necesito verte lo antes posible para hablar de

issue → *un asunto de trabajo.*

¿Te acuerdas de los Díaz, los amigos del barco de quienes tanto te hablé? Pues resulta

Juan Jose Diazoo   Isabel
sin Trabajo

que Juan José entró en la cafetería ayer, de
pura casualidad. Su mujer está de portera en
un edificio, y él está prácticamente sin trabajo.
¿Te parece bien si le propongo trabajar por las
mañanas en la cafetería? No es estrictamente
necesario, pero una ayuda nunca viene mal.
Espero noticias.

Un abrazo,
Próspero

**A las dos de la tarde, un coche paró frente a la cafetería. Se
bajó un hombre muy bien vestido y le entregó un sobre a Próspero. Por la letra, supo que era de Arturo.**

Querido Próspero:
Perdoná,[3] pero esta mañana me tuve que ir al
campo a firmar una escritura.
Si a vos te parece que Díaz es una persona de
confianza, tenés[4] mi aprobación.
Nos vemos a la vuelta.

Un abrazo a todos,
Arturo

---

[3] Perdoná: Imperativo de «vos». Con «tú» es «perdóname».

---

[4] Tenés: Presente del verbo *tener* en la forma «vos».

Ese día Jose no volvió a ver a su amigo a la cafetería, pero fue al día siguiente. Próspero estaba ansioso por proponerle el trabajo.

—¿Y? ¿Qué me dices?

—Vale —respondió sin demasiado entusiasmo.

—Y para celebrarlo, os invitamos el domingo a comer a casa. Palmira va a preparar pulpo[5] en vuestro honor. Asunción y su marido también están invitados, claro está.

---

[5] *Pulpo a feira*: Expresión gallega. Es la manera más habitual de preparar el pulpo.

El abuelo miró de reojo a Daniel, que parecía no notar ni la lluvia, ni los truenos, ni a sus amigos. Estaba absorto en sus pensamientos. Jesús se levantó a controlar la salamandra. La temperatura de la cocina era muy agradable y cada uno parecía estar pensando en sus propios asuntos.

—¿Cómo era Asunción? —quiso saber Daniel.

—¿Físicamente?

Daniel asintió.

—Una chica guapa. Bastante alta para su edad, de pelo castaño, ojos marrones y delgada. Ahora, eso sí. Tenía algo muy particular. Un lunar en la mejilla. Parecido al tuyo —dijo Agustín.

Daniel se puso colorado. Miró al abuelo:

—¿Seguimos con la historia? Nos quedamos en el pulpo.

A la una del mediodía llamaron a la puerta y se presentaron a comer. Isabel y Palmira se abrazaron.

—*¿Y Asunción? —preguntó Próspero.*

—*No se encontraba bien —dijo Jose.*

—*Tenía un compromiso con los suegros —dijo Isabel al mismo tiempo.*

Se miraron un poco avergonzados.

—Pero os ha enviado una nota —dijo Jose sacando un sobre del bolsillo de su chaqueta.

Lo cogió Palmira y se fue hacia la cocina.

—Vuelvo en un momento con el aperitivo —dijo.

Aprovechando que no había nadie, abrió el sobre. Dentro había otro sobre que ponía:

Por favor, entregar a Juan

Palmira regresó a la sala con una bandeja en la que había una botella de sidra[1] y cuatro copas.

Para Juan, Ignacio y Julio había una botella de Bils.[2]

Los niños saludaron a los amigos de sus padres.

—Perdonad, pero ya he comido porque tengo partido —dijo Ignacio.

—Yo me voy a comer a casa de Raúl —anunció Julio.

—Y yo tengo un examen mañana. Sabréis disculparme —concluyó Juan.

Los tres estaban de acuerdo en marcharse. Un poco porque no les interesaba, y otro poco porque su madre quería hablar tranquilamente con sus amigos.

---

[1] Sidra: Bebida alcohólica típica de Asturias, hecha a base de manzanas. En Argentina también se bebe, sobre todo para Navidad y Año Nuevo.

[2] Bils: Refresco de la época. Hoy ya no existe.

El pulpo estaba exquisito y la sobremesa[3] *fue agradable.*
Hablaron de los primeros tiempos en Buenos Aires. Los Díaz
sentían nostalgia de su tierra.

—*¿Y Asunción se casó?* —*preguntó Palmira con tono in-*
genuo.

—*Sí. Su marido es de muy buena familia. Un poco mayor,*
pero muy educado. ⌐ miserly

—*Educado y rácano*[4] —*acotó Jose.*

—*¿Se casaron por amor?* —*preguntó Palmira sin dar más*
rodeos.[5]- directamente

—*Bueno.*

—*Sí.*

—*Pues claro.*

—*Cómo iba a ser, si no* —*dijo Isabel.*

—Abuelo, ¿la obligaron a casarse? —preguntó Eva.

—¡Qué curiosa eres! —exclamó Agustín.

—¿Y la carta? ¿Sabe qué decía? —dijo Daniel.

---

[3] Sobremesa: Tiempo en que se queda sentado a la mesa, después de haber comido.

[4] Rácano: Significa «avaro».

[5] Sin dar más rodeos: Significa «directamente».

VIII

IX

X

100 puntos

—¡Otro curioso más! Paciencia, jovencitos —dijo el abuelo dando un hondo suspiro antes de continuar.

deep   sigh   drop

Por la noche, Palmira dejó la carta sobre el escritorio de Juan. Al volver del periódico, la encontró.

Buenos Aires, 27 de marzo de 1940

Querido Juan:

No sé ni cómo empezar a contarte de mi vida. Los primeros meses fueron muy duros, pero yo no dejé de buscarte ni un solo día. Fui cientos de veces a la dirección que me diste. Pocas semanas más tarde nos fuimos del barrio y a mi madre le ofrecieron el trabajo de la portería. El sueldo era muy bajo, el lugar, muy pequeño, pero mejor que vivir en un conventillo.[6]

I was Able to

convince

Logré convencer a mis padres para ir a la escuela. Ellos piensan que no hace falta

no need to

estudiar tanto, y que es suficiente con saber leer, escribir y hacer cuentas.

[6] Conventillo: Casas grandes en las que vive mucha gente en cada habitación.

Entré en un Normal de Señoritas,[7] porque
mi sueño era ser maestra.

Desde que mi madre es portera, mi padre no
ha vuelto a trabajar. Vivíamos de las propinas *Tips*
de los propietarios *owners* por algún servicio extra.

Yo no tenía una habitación propia y a veces
hacía la tarea de la escuela en el cuarto de
baño.

Comer, comíamos, pero poco y mal.

Como no teníamos dinero para cuadernos,
aprendí a escribir con letra muy pequeña, y a
pesar de todo conseguí aprobar *pass* el segundo año
de la secundaria.

to be sorry, influenza

Después conocí a mi actual marido.

Era un amigo de mi padre, y le propuso
casarse conmigo.

Es un buen hombre, educado, de buena
familia. Trabaja de contador[8] *account* en una fábrica.
Tiene casa propia y aunque es un poco mayor
para mí, me trata muy bien.

VIII

IX

X

100 puntos

---

[7] Normal de Señoritas: Escuela Secundaria para formar a futuras maestras.
Hoy ya no existen. Hay que estudiar más.

[8] Contador: Persona encargada de llevar la contabilidad. En España se dice
«contable».

Pero yo pensaba en ti, Juan. Y que me perdone mi marido por serle infiel con el pensamiento. *thought*

Mis padres no me presionaron, pero yo sentí que debía hacerlo por ellos, para salvarlos de la miseria.

Mi única condición fue terminar la escuela. Ahora soy maestra, *teacher* pero mi marido no me deja trabajar.

Estoy todo el día encerrada en casa, y como él no me da mucho dinero, a mis padres no puedo ayudarlos demasiado.

Te cuento esto porque necesito hacerlo.

No me busques.

Te deseo mucha felicidad.
Te quiere siempre,
Tu Asun

Eva, Sonia y Luz se secaron *dried* las lágrimas *tears* porque les daba vergüenza llorar como tontas.

—¡Huy! ¡Qué tarde es! —exclamó Felisa mirando el reloj.

En ese momento sonó el teléfono. Agustín se levantó para coger la llamada.

—Pregunta vuestra madre qué vais a hacer —dijo Agustín mirando a Jesús y a Luz.

Ninguno de los dos respondió.

—Os podéis quedar a dormir todos aquí. Hay habitaciones de sobra —ofreció la abuela, muy contenta de tener a tantos chicos en casa.

—Podemos pedir comida a un chino. Es lo que hacemos siempre cuando nuestros padres no están —propuso Jesús.

—Excelente idea —dijo Agustín dejando a todos muy sorprendidos.

—Pero si a ti no te gusta —dijo Sonia.

—A mí me gusta todo. Y está muy bien cambiar. Es sólo por una vez —dijo el abuelo riendo.

Jesús sacó de su bolsillo su móvil último modelo, pulsó varias teclas y dijo:

—¿Os leo el menú? Es el único chino que tiene servicio de entrega a domicilio.

Pidieron rollitos de primavera, carne de cerdo con verduras, pollo en salsa agridulce, ravioles al vapor y varias porciones de arroz blanco.

—Traen el pedido en una hora. ¿Está bien?

—Perfecto, así nos da tiempo a terminar la historia —comentó Daniel.

El lunes después de la comida de reencuentro, Jose se presentó en la cafetería una hora más tarde.

—*Perdona, pero no sabes lo que me cuesta levantarme* —*dijo a modo de disculpas.*

Como ayuda no era gran cosa. No sabía fregar las tazas de café, no sabía hacer el café, ni manejar la caja. Y además, llegaba tarde.

Al final del día, Próspero solía hacer las cuentas. Con el pasar de las semanas notó que le faltaba dinero. Era poco cada día, pero los números no cerraban. «Alguien me está robando», pensaba. Pero inmediatamente se quitaba la idea de la cabeza. «No puede ser», decía para sí.

Una noche, después de cenar, le comentó sus sospechas a Palmira. Juan estaba aún despierto y los oyó:

—Disculpad si os he escuchado, pero yo sé cosas de los Díaz que seguramente os interesará saber.

Y Juan les contó a sus padres lo que sabía por la carta de Asunción.

—¡Es horrible! —decía Palmira.

—Y creo que Asunción me ha contado menos de la mitad del asunto —concluyó Juan.

—¿Qué podemos hacer? —preguntó Próspero llevándose las manos a la cabeza.

—Tú, mañana, compórtate con él como si nada —dijo Juan.

—Voy a hablar con Arturo —decidió Próspero.

—Me parece una buena idea —dijo Palmira.

Arturo propuso denunciarlo a la policía. Por robo.

—Es muy difícil de probar —dijo Próspero.

—Vos por eso, no te preocupes. Te voy a enseñar un truco más viejo que el mundo.

Al abrirse, la caja registradora tenía dos partes: una bandeja para los billetes chicos y las monedas, y otra, más abajo, donde Próspero ponía los billetes de más valor. Ésos eran los que solían faltarle.

Siguiendo las indicaciones de Arturo, Próspero dejó ese día en la caja varios billetes de valor. A todos les hizo una pequeñísima marca de color rojo.

Esa misma mañana Arturo fue a la Comisaría y denunció a Juan José Díaz.

A las dos de la tarde, antes de marcharse de su turno en la cafetería, entraron dos policías.

—¿Juan José Díaz?

—Soy yo.

—Acompáñenos, por favor.

—Y usted, señor Bravo, tiene que venir a declarar.

◄10   —¿Lo descubrieron? —preguntó Jesús.

—Claro que lo descubrieron. Gracias al truco de los billetes.

—¿Y fue a la cárcel? —quiso saber Eva.

—No, Próspero y Arturo retiraron la denuncia. Jose ya tenía su castigo. De hecho, al salir de la comisaría y ver a Próspero, se acercó, le dio una abrazo, y sin decir una palabra se echó a llorar.

Jesús miró el reloj. Eran las diez menos cuarto y la barriga empezaba a hacerle ruidos.

Después del episodio del robo, Jose pasó una tarde por la cafetería para hablar con Próspero.

—Primero te quiero pedir perdón, una vez más —dijo mientras se le llenaban los ojos de lágrimas.

—Bueno, hombre. Ya pasó —le respondió su amigo que se sentía muy incómodo en esa situación.

—Y quiero también darte las gracias por todo y devolverte lo que te he robado.

Juan José Díaz sacó un sobre del bolsillo y se lo entregó.

—Y además, quiero decirte que nos volvemos a España.

—¿*Estás seguro? En España gobierna Franco, un dictador.*

—*No quiero pensar en eso. Sólo quiero olvidar estos años y este final.*

Los dos se quedaron callados largo rato.

—¿*Y tu hija? Sabes que no es feliz, ¿verdad?*

—*Mi hija se quiere marchar de su casa. Está decidida a volver a empezar. Y afortunadamente su matrimonio no está inscrito en la Embajada de nuestro país.*

—¿*También ella se marcha?* —*preguntó Próspero pensando en su hijo Juan.*

—*Sí, y ya se lo ha dicho a tu hijo. Lo siento mucho, de verdad.*

Jose bajó la cabeza una vez más. Su amigo se acercó a él y se unieron en un fuerte abrazo. El último.

Daniel abrió los ojos y exclamó:

—¡Asunción era mi abuela!

—¿Qué? ¿Cómo? ¿Qué dices? —gritaban todos a la vez.

—Estoy seguro. Todo coincide —dijo emocionado.

—¿Fue feliz en España? —le preguntó Felisa.

—Sí, muy feliz. Desde que conoció a mi abuelo.

Todos suspiraron aliviados. En ese momento sonó el timbre.

—El pedido del chino —gritó Jesús.

—A poner la mesa —ordenó la abuela.

Mientras se servían la comida de los varios recipientes de aluminio, Eva miró a su abuelo.

—Hay más, ¿verdad?

Agustín miró la porción de arroz blanco que tenía en la mano.

—¿Arroz? Sí que hay.

—No, abuelo, te pregunto si la historia sigue.

—¿Queréis seguir? Muy bien, pero otro día —dijo pasándole el arroz a Daniel.

—Y yo, os cuento cosas de Asunción —dijo Daniel sonriendo.

—¡Esto merece un brindis! —exclamó Felisa.

—Con granadina —comentó Jesús.

—Fíjate, que a lo mejor tengo un poco —dijo la abuela. Se levantó de la silla y desapareció del salón.

LA DICTADURA DE FRANCO

◄ 11

La Guerra Civil española (1936-1939) terminó con la victoria de los sublevados contra el Gobierno legal de la República, y la imposición de una dictadura que se prolongó hasta la muerte de su líder, el general Francisco Franco, en 1975.

El nacionalismo centralista, el catolicismo y el anticomunismo fueron los fundamentos de la dictadura franquista. Durante ese período, a los españoles se les negó el derecho a tener una Constitución y, en consecuencia, no existía el ejercicio de las libertades públicas.

Durante el franquismo las mujeres perdieron los derechos obtenidos con la Constitución de 1931, es decir, la igualdad respecto al hombre y el derecho al voto. La familia era una jerarquía en la que la mujer dependía de su marido, y los hijos, de sus padres.

Los medios de comunicación sufrieron censura y control por parte del gobierno, y no hubo libertad de prensa hasta 1977.

En 1942 se creó el NODO (Noticiario Documental), que se pasaba obligatoriamente en los cines, antes de la proyección de las películas, y que transmitía los valores del régimen.

El español era la única lengua oficial, y se prohibieron el catalán, el vasco y el gallego, así como también trató de desterrarse cualquier lengua extranjera. Las películas estaban todas dobladas, y hasta hubo casos en que se tradujeron los nombres de los actores. Por ejemplo, Grace Kelly era Gracia de Mónaco.

Además, el régimen estaba estrechamente relacionado con la Iglesia católica, que ejercía también control y censura.

Por la noche, se controlaba quién entraba y salía de las casas. Había un vigilante nocturno que tenía las llaves de todos los portales.

Se exaltaban las tradiciones y los viejos símbolos españoles y además, siendo Franco un militar, las fiestas solían celebrarse con desfiles.

El himno franquista por excelencia se llama *Cara al sol*.

■ **¿Qué sabes de geografía?**

1. **Buenos Aires es la capital de...**
   a. Chile
   b. Argentina
   c. Brasil

2. **Buenos Aires tiene hoy...**
   a. un millón de habitantes
   b. 500 000 habitantes
   c. unos 14 millones de habitantes

3. **Asturias está...**
   a. en el norte de España
   b. en el centro de España
   c. en el sur de España

4. **En el hemisferio sur...**
   a. las estaciones coinciden con el hemisferio norte
   b. las estaciones están invertidas respecto al norte
   c. no hay estaciones

5. **Buenos Aires está...**
   a. en la cordillera de los Andes.
   b. a orillas de un río.
   c. en la costa atlántica

■ **¿Qué sabes de historia?**

6. **Buenos Aires se fundó...**
   a. en el siglo XIX
   b. en el siglo XVI
   c. en el siglo XVIII

7. **Buenos Aires pertenecía al...**
   a. Virreinato de Nueva Granada
   b. Virreinato del Perú
   c. Virreinato del Río de la Plata

8. La Guerra Civil española
fue…
   a. en el siglo XX
   b. en el siglo XIX
   c. en la Edad Media

9. La Guerra Civil española
provocó…
   a. 500 muertos
   b. 500 000 muertos
   c. cinco millones de muertos

10. Después de la Guerra Civil
en España gobernó…
    a. el general Franco
    b. el rey Juan Carlos
    c. Primo de Rivera

■ Busca en esta sopa de letras seis palabras relacionadas con profesiones y lugares de trabajo.

U	S	F	E	D	A	R	A	M	I
P	M	Ú	S	I	C	O	E	C	B
S	O	T	T	B	T	I	R	A	T
E	A	B	O	G	A	D	O	F	I
L	C	O	H	E	L	M	A	E	A
A	I	L	T	L	L	S	M	T	M
P	E	I	L	O	E	H	A	E	P
I	S	S	E	S	R	O	S	R	A
A	S	T	U	T	A	P	I	I	O
E	P	A	C	T	R	I	Z	A	M

Horizontales:

11. ....

12. ....

13. ....

Verticales:

14. ....

15. ....

16. ....

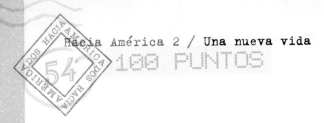
■ Une las siguientes palabras relacionadas con el tiempo atmosférico.

17. lluvia   a. estallar = explode
18. viento   b. bajas temperaturas
19. frío   c. oír
Thunderclap = 20. trueno   d. torrencial ?
storm = 21. tormenta   e. soplar = *blow*

■ Completa las oraciones con los verbos en pretérito indefinido.

22. Los Bravo y los Díaz *Se conocisteis / ieron* (conocerse) en el barco.
23. Palmira *empezó* (empezar) a trabajar en un taller de costura.
24. Elisa y Palmira *Se encontraron* (encontrarse) por pura casualidad. = *by chance*
25. A los chicos les *encantaron encantó* (encantar) la granadina.
26. Arturo le *regaló* (regalar) a Julio un bandoneón.
27. Ignacio *ingresó* (ingresar) en el club River Plate.
28. Arturo y Próspero *se hicieron* (hacerse) socios.
29. Un día Juan José Díaz *entró* (entrar) en la cafetería de Próspero.
30. Asunción *se casó* (casarse) con un hombre mayor.

■ ¿Cuáles de estas palabras corresponden a cada personaje?

entrenar – escritor – música – cafetería – estar sin trabajo
salamandra – periódico – teléfono móvil – impaciente – rico
casada – fútbol – lunar – generoso – abogado – maestra
gomina – club

31. Asunción: ....

32. Juan José: ....

33. Arturo: ....

34. Juan: ....

35. Julio: ....

36. Ignacio: ....

37. Daniel: ....

38. Agustín: ....

39. Jesús: ....

■ ¿A qué palabras del español de España corresponden éstas del español de Argentina?

40. Papas: ....

41. Chiquilín: ....

42. Vos: ....

43. Lomo: ....

■ ¿Qué quieren decir las siguientes expresiones? Une las dos columnas.

44. *darse aires*   a. de costado

45. mirar *de reojo*   b. rojo

46. *quedarse de piedra*   c. creerse superior

47. ponerse *colorado*   d. sin palabras

48. *quedarse mudo*   e. sorprenderse

■ ¿Pretérito perfecto o pretérito indefinido?

49. En 1936 muchos españoles emigraron *(emigrar)* del país.

50. Entre finales del siglo XIX y principios del XX .... *(llegar)* a Argentina muchos inmigrantes. ~~llegaron~~

51. ¿........... *(estar, vosotros)* alguna vez en Oviedo? ~~Habeis estado~~

52. En el curso pasado .... *(leer, nosotros)* Hacia América 1. ~~Leimos~~

53. La historia de los Bravo me .... *(gustar)* mucho. ~~gustó~~

54. ¿........... *(leer, tú)* algo sobre Buenos Aires? ~~Has leído~~

55. Franco .... *(morir)* en 1975. ~~murió~~

■ En cada línea de palabras hay un intruso. Encuéntralo.

56. harina – huevos – leche – horno – azúcar

57. máquina de escribir – tango – papel – novela – editorial

58. manzanas – sidra – lluvia – sur de España – Asturias

59. Guerra Civil – exilio – libertad – represión – hambre

60. música – tango – taller – bandoneón – clases

■ Completa las conjugaciones de estos verbos en pretérito indefinido.

	estar	ir/ser	hacer	tener
yo	61.	63.	hice	68. ....
tú	estuviste	64.	hiciste	69. ....
él, ella, usted	estuvo	fue	hizo	tuvo
nosotros/as	estuvimos	fuimos	66.	tuvimos
vosotros/as	62.	65.	67.	70. ....
ellos/as, ustedes	estuvieron	fueron	hicieron	tuvieron

■ Completa el crucigrama.

Horizontales:

71. Carrera que hay que estudiar para ser abogado.

72. Aguardiente típico de Galicia.

73. Sinónimo de «rácano».

Verticales:

74. Sirve para guardar el dinero en cualquier comercio.

75. Sinónimo de «colorado».

■ Completa con las preposiciones *a, de, en, para* o *por*.

76. Julio estudia ….para…… ser músico.

77. Los Bravo son …de……… Asturias.

78. Ignacio juega …en… River Plate.

79. El viaje en barco de España ……a………… Argentina tarda aproximadamente un mes.

80. Los Bravo emigran …………… la guerra.

■ Responde verdadero o falso a las siguientes afirmaciones.

81. Eva y Sonia prepararon un bizcocho
para sus abuelos. .... ☐ V ☐ F

82. A Agustín le gusta leer periódicos. .... ☐ V ☐ F

83. Daniel y Jesús son amigos. .... ☐ V ☐ F

84. El marido de Elisa se llamaba Arturo. .... ☑ V ☐ F

85. Juan, Ignacio y Julio eran malos alumnos. .... ☐ V ☐ F

86. Los Bravo no se adaptaron a su nueva vida. .... ☐ V ☐ F

87. El encuentro con Elisa y Arturo cambió
la vida de todos. .... ☐ V ☐ F

88. Próspero trabajaba en un taller. .... ☐ V ☐ F

89. Juan se olvidó completamente de Asunción. .... ☐ V ☐ F

90. Julio se compró un bandoneón. .... ☐ V ☐ F

91. Juan quería ser escritor. .... ☐ V ☐ F

92. Los Bravo y los Díaz se volvieron a encontrar. ...... ☐ V ☐ F

93. Juan José empezó a trabajar con Próspero. .... ☐ V ☐ F

94. Asunción se casó por amor. .... ☐ V ☐ F

95. Ignacio no tenía talento. .... ☐ V ☐ F

96. Palmira progresó en su trabajo. .... ☐ V ☐ F

97. Juan José era un buen empleado. .... ☐ V ☐ F

98. Los Díaz regresaron a España. .... ☐ V ☐ F

99. Daniel reconoció a su abuela. .... ☐ V ☐ F

100. La historia de los Bravo se terminó. .... ☐ V ☐ F

1. ▶ b
2. ▶ c
3. ▶ a
4. ▶ b
5. ▶ b
6. ▶ b
7. ▶ c
8. ▶ a
9. ▶ b
10. ▶ a
11. ▶ músico
12. ▶ abogado
13. ▶ actriz
14. ▶ futbolista
15. ▶ taller
16. ▶ cafetería
17. ▶ lluvia – torrencial
18. ▶ viento – soplar
19. ▶ frío – bajas temperaturas
20. ▶ trueno – oír
21. ▶ tormenta – estallar
22. ▶ se conocieron
23. ▶ empezó
24. ▶ se encontraron

25. ▶ encantó
26. ▶ regaló
27. ▶ ingresó
28. ▶ se hicieron
29. ▶ entró
30. ▶ se casó
31. ▶ Asunción: maestra – casada
32. ▶ Juan José: estar sin trabajo – cafetería
33. ▶ Arturo: generoso – rico
34. ▶ Juan: escritor – abogado
35. ▶ Julio: música – gomina
36. ▶ Ignacio: entrenar – club
37. ▶ Daniel: lunar – impaciente
38. ▶ Agustín: periódico – pipa
39. ▶ Jesús: teléfono móvil – salamandra
40. ▶ patatas
41. ▶ niño
42. ▶ tú
43. ▶ solomillo
44. ▶ creerse superior
45. ▶ de costado
46. ▶ sorprenderse

47. ▸ rojo	65. ▸ fuisteis	83. ▸ V
48. ▸ sin palabras	66. ▸ hicimos	84. ▸ V
49. ▸ emigraron	67. ▸ hicisteis	85. ▸ F
50. ▸ llegaron	68. ▸ tuve	86. ▸ F
51. ▸ Habéis estado	69. ▸ tuviste	87. ▸ V
52. ▸ leímos	70. ▸ tuvisteis	88. ▸ F
53. ▸ ha gustado	71. ▸ derecho	89. ▸ F
54. ▸ Has leído	72. ▸ Orujo	90. ▸ F
55. ▸ murió	73. ▸ avaro	91. ▸ V
56. ▸ horno	74. ▸ caja	92. ▸ V
57. ▸ tango	75. ▸ rojo	93. ▸ V
58. ▸ sur de España	76. ▸ para	94. ▸ F
59. ▸ libertad	77. ▸ de	95. ▸ F
60. ▸ taller	78. ▸ en	96. ▸ V
61. ▸ estuve	79. ▸ a	97. ▸ F
62. ▸ estuvisteis	80. ▸ por	98. ▸ V
63. ▸ fui	81. ▸ F	99. ▸ V
64. ▸ fuiste	82. ▸ V	100. ▸ F

■ EVALUACIÓN

¿Cuántos puntos has sacado? .... puntos.

ENTRE 80 Y 100 PUNTOS: ¡Enhorabuena! Has entendido muy bien la novela y has aprendido mucho español.

ENTRE 40 Y 79 PUNTOS: Analiza los errores y vuelve a leer la novela.

ENTRE 0 Y 39 PUNTOS: Lo siento, pero te recomiendo que leas nuevamente la novela.

Más actividades

■ ¿Puedes hacer oraciones con las siguientes expresiones?

a. Darse aires: ....

b. Mirar de reojo: ....

c. Quedarse de piedra: ....

d. Ponerse colorado: ....

e. Quedarse mudo: ....

■ ¿Con cuál de los personajes te sientes más identificado y por qué?

Me siento identificado con: ....

Porque ....
....
....
....
....
....

■ ¿Has leído el texto sobre el franquismo? ¿Por qué no escribes un texto similar sobre algún acontecimiento histórico de tu país? Recuerda usar el pretérito indefinido.

País: ....

Acontecimiento: ....
....
....
....
....
....